Para Ezra.

© 1992 Aladdin Books Ltd, London
Título original em inglês: *Famous Children Mozart*
Tradução autorizada por Aladdin Books Ltd

Copyright © 1993 Callis Editora Ltda
Todos os direitos reservados

Coordenação editorial: Miriam Gabbai
Tradução e adaptação do original: Helena B. Gomes Klimes
Revisão: Ricardo N. Barreiros
Escaneamento e tratamento das imagens: Márcio Uva
Diagramação: Carlos Magno

TEXTO ADEQUADO ÀS REGRAS DO NOVO ACORDO ORTOGRÁFICO DA LÍNGUA PORTUGUESA

2ª edição, 2011
5ª reimpressão, 2023

CIP-BRASIL. CATALOGAÇÃO-NA-FONTE
SINDICATO NACIONAL DOS EDITORES DE LIVROS, RJ

R118m
2.ed.

Rachlin, Ann, 1933

    Mozart / Ann Rachlin e [ilustrações] Susan Hellard ; [tradução e adaptação do
original Helena B. Gomes Klimes]. - 2.ed. - São Paulo : Callis Ed., 2011. il. color. -
(Crianças famosas)

Tradução de: *Famous children Mozart*
ISBN 978-85-7416-459-5

    1. Mozart, Wolfgang Amadeus, 1756-1791 - Infância e juventude - Literatura
infantojuvenil. 2. Compositores - Áustria - Biografia - Literatura infantojuvenil. 3.
Literatura infantojuvenil inglesa. I. Hellard, Susan. II. Klimes, Helena B. Gomes
(Helena Botelho Gomes) III. Título. IV. Série.

09-5734.   CDD: 927.8168
                                                                       CDU: 929:78.071.1
04.11.09   12.11.09   016174

Índices para catálogo sistemático
1. Literatura infantil 028.5
2. Músicos: Literatura infantojuvenil 028.5

ISBN: 978-85-7416-459-5

Impresso no Brasil

2023
Callis Editora Ltda.
Rua Oscar Freire, 379, 6º andar • 01426-001 • São Paulo • SP
Tel.: (11) 3068-5600 • Fax: (11) 3088-3133
www.callis.com.br • vendas@callis.com.br

Crianças Famosas

Mozart

Ann Rachlin e Susan Hellard

Tradução: Helena B. Gomes Klimes

callis

Enquanto Nannerl tinha uma aula de música com seu pai, Leopold Mozart, o pequeno Wolfgang Amadeus Mozart via e ouvia cada nota que sua irmã tocava. Quando a aula terminou, ele disse:

— Posso ter uma aula também, papai?

— Você ainda é muito pequeno, meu filho. Quando o senhor Mozart e Nannerl saíram da sala, Wolfgang sentou-se ao cravo e tocou duas notas, depois mais duas, e assim foi indo. A música lhe parecia linda. Wolfie sorria. Seu pai ouviu e veio vê-lo. Wolfgang estava tocando corretamente, sem ninguém ajudá-lo. Então o senhor Mozart começou a dar aulas ao seu pequeno garoto.

Wolfgang estava tocando tão bem quanto sua irmã Nannerl. A rapidez com que aprendia deixava seu pai muito satisfeito. E, quando Wolfgang passou a compor sua própria música, o senhor Mozart ficou maravilhado. Ninguém poderia acreditar que um menino de apenas cinco anos de idade compunha músicas tão bonitas.

Passado algum tempo, o senhor Mozart decidiu levar seus dois talentosos filhos para um concerto em Munique. Foi uma longa viagem e a carruagem chacoalhava muito. Mas, mesmo assim, eles tinham de se preparar. Então Wolfie e Nannerl praticaram em um teclado improvisado sobre um pedaço de madeira durante todo o caminho.

Assim que chegaram a Munique, todos começaram a falar das maravilhosas crianças Mozart. Vestidos com suas melhores roupas, Wolfgang e Nannerl tocaram para o príncipe Joseph. O concerto foi um grande sucesso. Todos aplaudiram e lhes deram presentes e joias. O senhor Mozart ficou muito orgulhoso de seus filhos.

Uma senhora, bem gorducha, ficou tão entusiasmada que correu para o pequeno Mozart, pegou-o nos braços e sapecou-lhe um beijo barulhento e molhado.

— Argh! — resmungou Wofgang, enquanto tentava escapar daquele abraço, ao mesmo tempo que limpava seu rosto.

Quando voltaram para casa, em Salzburg, Wolfgang ficou muito contente ao ver sua mãe e seu cachorrinho Bimperl. Tinha sentido muita saudade deles. Depois de brincar e abraçar Bimperl, ele escreveu um pequeno minueto para comemorar sua volta. Era janeiro de 1762, e só faltavam alguns dias para Wolfgang completar seis anos.

No dia de seu aniversário, Wolfgang ganhou um pequeno violino de seu pai. Ele ficou radiante. Naquela noite, quando os amigos de seu pai chegaram carregando seus instrumentos para um ensaio, Wolfie saiu correndo para pegar seu violino. Mas o senhor Mozart disse:

— Não, Wolfgang. Você ainda não pode tocar conosco. Não antes de ter muitas aulas e alguma prática.

Wolfgang começou a chorar.

Um dos amigos de seu pai, o senhor Schachtner, ficou com pena do menino e disse:

— Vamos, Leopold, deixe Wolfie ficar perto de mim. Eu não me importo.

— Está bem — disse o senhor Mozart —, mas lembre-se de tocar baixinho, Wolfie, para que ninguém te ouça.

Wolfgang sorriu e, de pé ao lado do senhor Schachtner, começou a acompanhá-lo, seguindo cuidadosamente a música. Pouco a pouco o senhor Schachtner passou a tocar mais suavemente, cada vez mais, até que parou de tocar. Mas Wolfie continuou tocando. O senhor Mozart não podia acreditar no que via e ouvia. Como é que um menino tão pequeno podia tocar uma música tão difícil como aquela sem nunca ter tido aulas de violino?

A próxima viagem foi para Viena e, desta vez, sua mãe os acompanhou. Depois de alguns dias na cidade, chegou um convite. Wolfgang e Nannerls eram convidados para tocar no palácio real, para o imperador e a imperatriz. Uau! Este seria um concerto muito especial! Suas roupas foram lavadas e passadas. Seus sapatos foram polidos até que brilhassem como espelhos.

No dia marcado, os Mozart se dirigiam para o palácio.

O imperador, a imperatriz e as crianças reais esperavam pelos músicos na sala do trono. Wolfgang olhou-os curioso.

"Será que poderemos brincar com eles?", pensou.

Wolfgang tocou primeiro. Depois foi a vez de Nannerl. Quando ela acabou, eles tocaram alguns duetos. A família real não podia acreditar que aquela música maravilhosa estava sendo tocada por duas crianças tão pequenas.

Depois do concerto, enquanto o senhor e a senhora Mozart conversavam com o imperador e a imperatriz, Wolfgang e Nannerl brincavam com as crianças reais.

— Uups! — exclamou Wolfgang enquanto escorregava sobre o chão encerado. A jovem arquiduquesa Marie Antoinette ajudou-o a ficar de pé.

— Você é muito gentil — disse o pequeno menino —, quando eu crescer vou me casar com você!

Wolfie e Nannerl ganharam muitos presentes da imperatriz e foram contentes para casa. À noite, o imperador comentou:

— Que menino esperto! Devemos convidá-lo novamente. Gostaria de ter certeza de que ele é tão bom como nos pareceu hoje. Vou testá-lo.

Dois dias depois, Wolfgang e Nannerl receberam roupas lindíssimas de presente. Vinham da imperatriz. Wolfgang ficou encantado. Seu traje era digno de um príncipe: meias de seda branca, calças e casaco de veludo lilás, e ainda um lindo colete. O vestido de Nannerl não ficava atrás. Era todo cor--de-rosa, com laços e bordados. Vestindo essas lindas roupas, eles voltaram ao palácio na semana seguinte.

— Senhor e senhora Mozart, *master* Wolfgang e senhorita Nannerl! — anunciou o porteiro.

Assim que viu a imperatriz, Wolfgang atravessou correndo a sala e pulou no seu colo. Carinhosamente ele colocou seus braços em volta do pescoço da imperatriz e lhe deu um beijo!

— O que você vai tocar hoje, pequeno Mozart? — perguntou o imperador sorrindo.

— Vou tocar meu *Allegro* em si bemol maior — respondeu Wolfie.

E, escorregando pelas pernas da imperatriz, voltou ao chão e correu para o cravo.

— Muito bem — disse o imperador —, mas primeiro eu gostaria de colocar isto sobre as teclas.

O imperador colocou um grande pano preto sobre o teclado. Mozart suspirou. Para ele aquilo não faria a menor diferença. Sabia que podia tocar o cravo sem olhar para as teclas.

Wolfgang colocou suas mãos sobre o pano preto e tocou seu *Allegro* com perfeição.

— Muito bem! — exclamaram o imperador e a imperatriz.

O senhor Mozart levou Nannerl e Wolfgang a muitos países diferentes. Uma das viagens que fizeram durou três anos e cinco meses! Aonde quer que fossem, os Mozart davam concertos. Todos os admiravam e os presenteavam. Wolfgang passou a ser chamado de "Mozart, o Menino Maravilha"!

Wolfgang cresceu e se tornou um dos maiores compositores de todos os tempos. Ainda hoje, pessoas do mundo inteiro adoram tocar e ouvir suas músicas maravilhosas.

Wolfgang Amadeus Mozart compôs mais de 700 trabalhos, incluindo sinfonias, concertos, sonatas e missas. Compôs 23 óperas, das quais as mais famosas são:

As Bodas de Fígaro

Cosi fan tutte

Don Giovanni

A Flauta Mágica

Ann Rachlin é uma educadora de música internacionalmente conhecida. Também é escritora, contadora de histórias, letrista, palestrante e fundadora da fundação "The Beethoven" para crianças surdas. Ann atuou em inúmeros festivais internacionais de música e apareceu com grandes orquestras sinfônicas no Reino Unido, EUA e Austrália.

Susan Hellard é uma hábil ilustradora com uma longa lista de livros para crianças. Mora em Londres e adora nadar. Possui um vasto estilo de ilustração, abrangendo desde princesas até livros de receitas e projetos de cerâmica.